이틀 내내 눈이 온다는 서울에는 당신이 있다

이용빈 시집

겨울이었고 여름이었고 늦은 봄이었다
그때 우리는 서로에게 서로가 없었지만 사랑했다
혼자 하는 사랑도 사랑이 될 수 있음을 알려준 너는
내가 했던 말들을 기억할까
우리가 했던 약속은 세상에 없지만
우리는 이곳에 있다
영영 네게 닿지 못할 것이다

2023년 겨울
이용빈

차례

시인의 말

1부 기억은 기억으로 미움은 더 큰 미움으로

2부 너는 없지만 네가 있다

3부 당신이 살다 간 계절이 환하다

1부 기억은 기억으로 미움은 더 큰 미움으로

추신(追伸)

서로를 이해하기보단 용서하는 일이 더 나은 결말을 만들어줄 것입니다 지워지는 꿈의 손목을 잡고 어긋나는 낱말과 맞춰지지 않는 문장으로 그것을 설명하는 것은 쉽지 않은 일입니다 자주 손끝이 베이고 두통에 시달리는 내가 가진 볼품 없는 아픔은 이 밤에 별로 중요하지 않습니다 침묵이 말을 잇고 밤이 기억을 이을 때 슬픔이 울음을 부르지만 그 울음은 누구의 손길도 닿지 않을 것입니다 말은 생각일 때 가장 또렷하고 기억은 추억일 때가 가장 아름답듯이 당신을 잃은 나의 사랑도 그렇게 남겨질 것입니다 우리는 이별하고 같은 이별을 반복했습니다 그건 내가 당신을 사랑하고 더 사랑한다는 뜻이었습니다

저는 당신과의 추억으로 살아갈 테니 당신은 여전히 당신으로 살아가길 바랍니다

생(生)

철 지난 노래를 듣고
때 놓친 끼니를 챙기는 것은
보통의 하루를 사는 방식이다

나는 휴지 한 장이면 끝날 슬픔을
오래 감추는 법을 잘 알고 있었고

우린 그런 사연 하나쯤 있어서
늦은 밤 만나 이른 새벽에 헤어진다

해 뜨기 전보다
해가 뜬 후 더 어두워진 사람의
낯빛에는 엷은 빛도 들지 않고

불 켜진 넓은 빈 집보다
불 꺼진 방 한 평짜리 시절이 더 환하다

어디서든 웃고 울 수도 살거나 죽어가는
삶은 무엇이 되고 무엇도 되지 않는다

어른

요새 바람이 차다는 말을
들었을 땐 이미 늦었습니다

어젯밤 꿈자리가 좋지 않다 싶었는데
아침부터 몸이 말썽입니다

며칠 앓다 보면 지난 나의 잘못을
용서받는 것처럼 느껴졌고
이런 일은 계절이 바뀌는 시기에 빈번했습니다

오래 알고 지낸 친구에게
거는 전화는 가볍지만
우리는 늘 무언가를 짊어진 채 끊어야만 했습니다

더는 자랑이 될 수 없는
꿈을 지킨다는 건

이를 악 물고 살아야 하는
현실처럼 힘겹게 느껴지고

어렸을 적 꿈이

더는 생각나지 않는다는 건

조금은 어른이 되고 있다는 뜻인지도 모르겠습니다

무의미

지난 기억은 기억으로 두고 이곳에는 어떤 기대나 희망도 없습니다 너에게 거는 전화는 어렵고 끊을 때 했던 안녕은 아마 마지막 인사일 것입니다 혼자 하는 사랑은 덧없고 몇 번이나 고쳤던 글은 어떤 의미도 갖지 못할 것입니다 지워지지 않는 이름이 아프고 버리지 못하는 마음은 사인(死因)을 모르는 죽음처럼 아득합니다 그때 너에게 했던 말은 꼭 하고 싶었던 말이었을 것이고 그럼에도 하지 못한 말은 더 하고 싶었던 말이었을 것입니다

오거리 식당

한숨으로 운을 떼고 더 깊은 한숨으로 맺는 당신의 말은
언제나 같았다 당신은 삶의 상처에는 술이 제격이라고 했
고 파란 병은 아픔을 위로하는 법을 알고 있었다 상해를
입은 후엔 금주를 권고하는 동네 작은 병원 늙은 의사의
소견을 생각하다 접고 모든 것이 아무것도 아닌 기억이 되
고 누구의 것도 아니게 되어 어디론가 멀리 흩어지길 바라
며 당신의 낡은 마음을 생각했다 내리는 비와 흘러가는 빗
물 지나지 않는 추위와 야윈 세월에 갇힌 한 여자의 시절
을 위로하며 침묵으로 빈 잔을 채웠다

그해 당신

날이 흐린 세상에서 잎에 맺힌 이슬은 당신의 슬픔 같았다
읽히지 않는 옛사람들의 글자처럼 한 시절이 저물고 연고
(緣故)도 없는 거리에서 얽힌 기억의 연을 오래 생각했다
자주 비가 내렸고 떠나간 발자국 지워지라고 길 따라 빗물
이 흐른다 마침표를 찍는 일은 다시 오지 않을 날들에게
건네는 마지막 인사 같았다 삶의 몇 장의 장면을 떠올리다
어떤 이름이 그리워져 서랍 속에 한참 넣어둔 마음을 꺼냈
다 "좁고 긴 골목이지만 끝에 서 있는 당신을 바라보는 일
만으로도 충분합니다."라고 적힌 메모장 작은 여백에 "짙
은 어둠도 흐린 빛에 사라지던 시절이었습니다."라고 이어
적었다

순댓국

불이 꺼진 간판을 바라보는 일은 빛 하나 들어오지 않는
골목을 지나는 일처럼 아득했습니다 집 앞 오래된 국밥집
은 가난을 위로하는 법을 알고 있었고 깍두기라고 말하는
나의 말과 섞박지라고 하는 당신의 말이 곧잘 섞였습니다
나는 당신 밥 위에 고기 몇 점을 얹었지만 입이 짧은 당신
은 다 먹지 못했습니다 어느 시절처럼 식어가는 고기는 안
중에도 없고 우리는 그곳에 머물며 서로의 마음만 오래도
록 끓였습니다

고백

가본 적 없는 거리를 생각하고
본 적 없는 사람을 떠올리는 건 같은 일이다

가사 없는 노래가 더 슬프게 들리고
어떤 말도 남기지 못하고 떠난 이의 마음을 생각한다

죽은 이는 말이 없고
시든 꽃은 색을 잃듯이

너의 소매 끝에 밴 향수의 쓸쓸함도 지금쯤 없을 것이다

그때 내가 쓴 편지는 유서였고
고백했던 모든 말은 유언이었다

어쩌면 내가 적는 모든 글은

너에게

고백했던 마음이거나
고백하는 마음이거나
고백하고 싶은 마음일 것이다

마음으로

첫 문장은 잃고 싶지 않은 아픔을 기록하는 일이었다 짙어지는 잎은 곧 사라질 한철의 장면 같았다 빛이 있는 곳엔 언제나 그림자가 드리우고 그 안에 잠겨버리고 싶은 기분까지 들었다 보내주는 일과 보내야 하는 일의 차이를 생각하는 날들이 길게 이어졌다 한두 방울 떨어지는 일로 우산을 챙기진 않지만 오래전 여인의 안부를 속으로 묻는 습관은 그대로 둔다 아주 밑바닥인 이곳에서 한참 위를 올려다보면 얼마 남지 않는 나의 끝과 더 얼마 남지 않은 당신의 끝이 보였다 하루 종일 갈망과 증오를 반복하는 일도 이쯤에서 그만두고 싶었다

한 문장 적지 못할 때

한참 앉아 있어도
한 문장 적지 못할 때는

눈이 감긴 시절을 떠올리거나
곧 부서질 것 같은 밤을 올려다본다

낯선 길목에서
보이지 않는 사람을 기다리며

내가 놓으면 끝날 사이
하나쯤을 생각했고

어제 늦은 저녁에는
얼마 남지 않은 이별의 문턱을 자꾸만 서성였다

어릴 때 울면 커서 울지 않는다던
당신의 말도 이젠 알 것 같았고

너무 좋아하는 일이
때론 사랑이 아닐 수도 있었다

To.

어떤 말보다 당신의 이름이 가장 슬프게 보이고
오늘은 종일 비가 내렸다

너를 위해 죽을 수도 있어

네가 떠난 날은 비가 왔고 돌아오지 않는 오늘은 눈이 온다 같은 문장을 적고 지우다 보면 잊히지 않는 네가 밉다가 그리워진다 꽃이 피고 지는 건 사랑하고 이별하는 일처럼 간단했다 영원을 약속한 세상의 모든 사랑은 어긋난 비문이다 어떤 기억을 빌려 글을 쓰고 그럼에도 적지 못한 마음은 저편에 둔다 너를 위해 죽을 수 있다는 말은 너를 위해 살아갈 수도 있다는 말이었다 예고 없이 내린 첫눈은 더 이상 우리에게 시가 되지 못하고 그건 내가 너를 위해 살거나 죽어도 마찬가지였다

장례

1940-2022

당신은 슬프지 않다면서 울었고
나는 울지 않았지만 슬프다고 말했다
내가 당신 대신 슬프고
당신이 나 대신 우는 이 세상에는
차마 무엇도 할 수 없는 이별이 있다

도쿄

얼굴 한 번 본 적 없는 이를 기다리고

잡아본 적 없는 손끝의 기억을 더듬고

긴 새벽처럼 이어지는 눈썹을 그리다가

입술 끝에 맺힌 말들을 오래 생각하다 보면

마주한 적 없는 슬픔이 보이고

모른 체 돌아섰던 계절의 민낯이

어느 여름날 내리는 아무 일도 아닌 비처럼

내가 간직한 모든 비애(悲哀)에게 안부를 묻는다

밤을 빌려야만 전할 수 있는 말이 있고

그 밤이 지나면 사라지는 마음들이

어두운 하늘에 독백한다

남들이 하는 것들은 다 하고 싶다고 말했던

너와 같은 이름을 가진 사람이 이따금 있지만

그런 눈빛을 가진 사람은 본 일이 없고

아마 너는 내가 올려다보는 점들 중

하나가 되어 있을 것이다

저쯤에서 가장 환하게 그러니까 연한 너의 얼굴처럼

독주(獨走)

밤이 오래 되어야 끝이었다 당신이 어제 오늘 걸렀을 끼니와 내뿜은 담배연기 같은 것들을 생각한다 밤이 자정을 지날 무렵 당신이 왔다 무엇으로도 채우지 않던 당신은 술잔을 채우고 곧장 비웠다 그 모습을 바라보는 나의 표정이 어땠는지 모르겠지만 "그렇게 보지 마. 그럼 내가 슬퍼 보이잖아." 하는 당신의 말로 나의 표정을 유추한다 당신과 잔을 부딪힌 기억은 없고 나는 빈 잔을 채워주는 일로 여러 말과 위로를 대신했다 무엇도 힘들지 않다던 당신이 울었다

근황

꿈을 꿉니다
어제는 버려졌고 오늘 밤도 그럴 것입니다

비가 내립니다
하루 이틀 길어지고 아프게 봄이 지고 있습니다

편지를 적습니다
이 마음은 당신에게 닿지 못할 것입니다

봄은 침묵을 부르고
바람은 꽃잎을 울렸습니다

우리의 계절은 끝났습니다

나는 가끔 웃고 더 가끔은 울었습니다

일기

계절이 몇 번 바뀌어 두꺼워지는 옷차림만큼 걱정이나 한탄이 커지고

이렇게 살다 보면 삶이 너무 빠르게 지나가는 건 아닌가 하는 그런 생각을 누군가와 나누고 싶고

생각이 깊어질수록 입 밖으로 나오는 말은 줄고

오늘 내가 먹은 반찬과 그저께 네가 먹은 반찬이 같으면 괜히 반갑고

보고 싶은 사람은 많지만 볼 수 있는 사람은 얼마 되지 않고

얼굴 한 번 보자 밥 한 번 먹자 술 한잔 하자 같은 기약 없는 약속은 근래 내가 가장 많이 한 거짓말인데 아마 너도 그럴 것이고

그래도 보고 싶은 마음에는 거짓이 없고

그렇게 만나게 된 친구가 있지만 우린 다시 거짓말을 하고 사는 일이 다 그런 거라며 혼자만의 방식으로 위로하고

그런 일은 달이 지나고 해가 넘어갈수록 심해지고

거짓말을 하면 나쁜 사람이라는 말이 도통 이해되지 않는 나이가 되었고

어른들은 나쁘고 아이들은 착해서 선과 악이 공정히 분배된 세상의 순리(順理)를 생각하고

착하다 나쁘다 두 단어가 가진 뜻이 멀지만 한 끗처럼 느껴지고

세상은 그렇게 다 한 끗 차이지만 그 한 끗으로 우리의 삶이 한참 달라지는 일이 여러 있고

사랑과 증오도 마찬가지여서 사랑은 증오 증오는 사랑과 같은 시의 구절을 적고

사랑이 증오가 된다는 일이 슬프고 증오도 사랑이 될 수 있음에 안도하고

그때 우리가 했던 건 사랑이자 증오였고 증오이자 사랑일 수도 있겠다는 생각을 하고

포장마차

닫힌 문틈 사이로
불어오는 바람은 차갑고

마주 보는 당신의 눈빛이
조금 낯설게 느껴집니다

당신의 말을 안주 삼아
마시는 술은 달고

지금은 어떤 반응도 괜찮을 것 같습니다

먼 기억을 짚어보며
같은 시절을 생각하면

함께였다는 사실에 위안이 되고
조금 더 함께 있고 싶다는
마음이 드는 건 어쩔 수 없습니다

불이 꺼진 거리를 걷다가
기대어 보기도 하고

흔들리는 마음을

이르게 고백하기도 했던 새벽

낯선 동네에서

더 낯선 당신의 눈빛이

캄캄한 이곳을 오래 비췄습니다

12월

-화천

그것만으로 충분하다고 위로하기엔 가진 건 마음이 전부였습니다 아름다운 것들은 이르게 저물거나 사라진다는 사실을 잘 알고 있었습니다 "걸음이 닿지 않는 거리에는 사람을 잃은 헌 집들이 모여있고, 벽면에는 오래된 이름과 빛바랜 마음이 희미하게 적혀있다."라는 문장을 쓰다가 팔을 베고 자면 팔이 저리는 꿈을 꾸고 엎드려 자면 악몽을 꾼다는 여인의 말을 생각합니다 이곳은 유난히 시린 바람이 불고 추운 날들이 이어졌습니다 그런 탓에 기침을 하거나 미열이 나는 일이 잦았고 숨을 길게 뱉으면 한숨 같은 연기가 허공으로 흩어졌습니다 돌보는 일은 잠시 밀어두고 앞만 보며 왔지만 앞으로 반쯤 남은 날들이 가깝지만 멀게도 멀지만 가깝게 느껴지는 겨울밤입니다

꽃말

꽃은 필 때보다 질 때
아름답다던 당신의 말처럼

삶의 모든 이별이
꽃의 죽음과 닮아있길 바랐다

꽃은 각자의 슬픔을
떨어지는 잎에 숨겨두고 서서히 죽어간다

꽃말은 아마 꽃의 유언이었을 것이다

영영 보지 않겠다던 말은
당신의 마지막 유언이었고

나는 그 말을 들으며 서서히 죽어갔다

어떤 사랑도 남기도 않고 시들어가는
우리는 끝내 어떤 꽃들처럼 아름답지 못했지만

세상의 모든 이별은
꽃의 유언처럼 남겨지길 바라는 마음이었다

2부 너는 없지만 네가 있다

새벽

검은 옷을 입은
세상의 이름은 새벽

빛이 길어지는
계절의 어둠은 귀하다

반쯤 눈이 감긴 시절

나보다 먼저 잠드는 너의 습관
네가 모르는 너의 낯익은 잠버릇

끼니 때에 맞춰
하루에 두어 번 우는 전화

차마 받지는 못해
빨간색으로 남겨진 너의 이름

시시한 농담과 진부한 웃음
그런 건 시답잖다는 너의 표정이

달의 맺음보다 환하다

회다 연하다 푸르다 곱다

너 없이 자립할 수 없는 연약한 글자들

너의 이름과 함께할 때

비로소 완성되는 나의 문장

익숙한 마음을 이어 적으며

여러 밤을 보냈던 그때

우리는 새벽에게 한없이 너그러웠다

안부

어떤 뜻도 없는 날들의 단편이 지나갑니다 낮보다 밤이 길어지는 계절의 공기는 선선합니다 어제는 더웠지만 오늘 저녁부터 바람이 차다는 말을 해주고 싶은 이름이 떠오르고 이름 위에 오래 쌓인 먼지를 털고 천천히 발음해봅니다 어느 봄인지 가을인지 어쩌면 여름이기도 했던 시절이었습니다 문틈 사이로 몰래 끼워둔 편지처럼 당신이 저를 볼 수 없게 저도 당신을 볼 수 없을 만큼 멀리 돌아서는 걸음이었습니다 오고 가는 계절의 여백 사이 어딘가에서 오래전 여인의 뒷모습을 그려봅니다

야경

-도쿄

혼자 하는 일로 혼자 할 수 없는 것들을 위로합니다 도시는 어두운 밤이 있기에 빛날 수 있는 것입니다 이곳에는 각자의 방식으로 세상을 밝히며 살아가는 삶의 모습이 보이고 그 광경을 지켜보면 밤이 있어서 다행이라는 생각이 듭니다 불꽃은 타오르고 질 때 흔적을 남기듯 우리는 어떤 자취를 남기고 기억하는지 고민하는 일로 길어지는 침묵을 설명합니다 세상에 빛나지 않는 건 없지만 그 사실을 알고 있는 사람은 얼마 되지 않고 그런 이유로 세상은 빛나고 우리는 아프게 살아갑니다

너는 나의 종교

돌이켜 보면 그때 내가 했던 건 사랑보다 종교에 더 가까 웠지 문득 찾아온 너는 땅이었고 하늘이었고 구원이었지 나는 신을 믿지 않았지만 너를 믿었지 믿음보단 신앙에 더 가깝다고 말해야 할 것 같지만 그땐 그랬었지 어떤 고통이 나 슬픔도 네 앞에서는 다 무의미한 것들이었지 너의 헝클 어진 머리칼 초점 잃은 눈동자 밑에 까만 점 그 속에 살고 싶던 지난 날들 반듯한 이마와 턱 끝에 있는 오래된 흉터 그것마저 의도된 아름다움 같았지 그리고 이 모든 건 신이 내린 뜻 모를 계시 같았지 아무튼 그땐 그랬었지

근데 그거 알아?

너 말고는 아무도 믿지 않아

지금도

서울

-화곡동

어떤 희망이나 기대 같은 것에 기대어보고 절망이나 두려움에 숨어보기도 했던 기억이 있다 얼굴 한 번 본 적 없는 아랫집은 작은 술집을 했다 밤이 되면 파란 조명이 외로운 나의 창을 흐리게 했고 늦은 밤까지 틀어놓은 노래 탓에 혼자지만 누군가와 함께 있는 기분이었다 낯익은 노랫말이 들려오면 혼자 중얼거렸고 그러면 세상 사람들이 다 알고 있는 사실을 나도 알고 있다는 안도감이 들었다 언젠가는 아니 보통은 생전 들어본 적 없는 노래가 들렸는데 그건 너에게 말해줄 새로운 소식처럼 넣어두었다 그러다 아주 가끔 음악도 발걸음도 어떤 소음도 파란 조명마저 내 창에 비치지 않을 때면 긴 새벽 정막에서 뒤척이는 나의 발버둥이 가난한 시절 그 좁은 방에서 해진 이불을 덮고 울던 너의 들숨과 날숨 사이에 끼어있던 조급한 헐떡임처럼 슬프고 외로웠다

때

눈을 감고 귀를 막는 것만으로도 세상과 단절한 기분일 때

안녕이라는 말보다 슬픈 단어가 떠오르지 않을 때

생각보다 짙은 건 없고 말보다 흐린 건 없을 때

기억을 짚어보는 일이 부끄럽게만 느껴질 때

그때라는 말은 돌아갈 수 없는 시절이란 것을 깨달았을 때

의미 없는 문장을 해석할 때

그래서 세상 모든 일의 의미를 부여할 때

말과 말 사이의 호흡이 먼 기억만큼의 거리일 때

생각보다 내가 볼품없다는 사실을 알았을 때

그것이 어른이 되는 과정임을 배울 때

비참한 사실보다 비참한 생각이 더 비참할 때

아는 것보다 모르는 것이 나을 때

때론 알아도 다 아는 것이 아닐 때

적었던 문장을 까먹고 같은 문장을 적을 때

너에게 했던 모든 말이 비문일 때

사랑했던 사람이 있다고 사랑하는 사람에게 말했을 때

그래서 더는 사랑하고 싶지 않다는 생각이 들 때

그럼에도 너의 눈빛이 아름다울 때

내게 떠난 모든 것들과 내가 떠난 모든 것들이 기억날 때

마음보다 사실이 중요할 때

꿈이 현실에 무너질 때

그것도 어른이 되는 과정일 때

애초에 꿈이라는 이름을 붙이지 말았어야 했는데 같은

생각을 너에게 말하고 싶을 때

네가 없을 때

첫사랑

어둑해지는 저녁
가로등 빛은 환해 마르지 않은 상처가 아프다

기억이 기억을 잇고
꿈에서도 같은 꿈을 꾸고

지금 이 생이
다 거짓이라고 느껴지면

수줍게 손을 잡고 사랑을 하고
이별을 하고 첫 울음을 터뜨리던

생각만으로 미어지는 오래전의 당신이 그리워진다

먼 기억도 쉽게
아물지 않는 5月

이맘때쯤 너는 떠났고
나는 아직 돌아갈 수도 떠날 수도 없는
이곳에서 침묵한다

. ,

당신의 눈물이 마지막 점 하나를 번지게 했다

나는 당신에게 한 문장 적을 수 있었다

편지

오지 않는 소식을 기다리는 일은
당신을 잊지 않겠다는 다짐이었다

하루가 끝났다는 안도와
다음 하루가 이어진다는 지겨움이 동시에 들고

한참을 읽어도 늘 같은 곳에
머무는 익숙한 구절을 떠올리며

그리운 당신의 얼굴을 생각했다

무엇이든 재미있다고 웃던
훈련소 동기는

편지에 적힌 오랜 애인의
이름을 보자마자 울었고

곧 나도 따라 울었다

슬퍼서 운다기보단
울어서 슬플 때가 있다

꿈

그리운 날들이
남아있는 밤보다 길어질 때

끊임없이 누군가에게
버려지는 꿈을 꿨다

나는 그 꿈을
잊지 않고 기억해

다음 날도
그 다음 날도

같은 꿈을 꿀 수 있었다

그렇게 매일 밤
버림받을 수 있어서

당신 얼굴 한 번 볼 수 있어서 다행이었다

4:00

조용한 꿈
어지러운 소음

낯선 노랫말
빛바랜 단어

오늘 새로 알게 된 1절은
내일 잊혀질 예술가의 문장

꽃은 지고
별은 저물고
사랑은 떠나고

아름다운 것들은 곧 사라질 한철의 장면

비좁은 소망
깨진 정적
멈춘 시곗바늘

시간은 네 시

어디쯤에 머문 기억

흐르지 않는 계절

나열하기 힘든 이별들

이것들은 아마도 아주 오래 아픔이었을 시간

책갈피

당신의 부재가 더는 위안이 되지 못하고 글은 쉽게 쓰이지 않습니다 짧았던 머리는 어느새 시야를 흐리게 하고 더 흐린 기억은 멀리 있습니다 헝클어진 당신의 머리카락은 어느 봄날 흩날리는 꽃잎보다 아름다웠지만 꽃잎은 금세 떨어진다는 미처 생각하지 못한 사실을 당신이 떠난 후 깨달았습니다 여전히 빈속에 태우는 담배맛은 모르지만 당신이 태우는 담배가 빈속이 아니길 바랍니다 당신에게 주려고 적어 둔 편지는 아직 이곳에 있고 보여주고 싶었던 글은 누구에게도 보여주지 못했습니다 당신은 비 오는 날을 싫어했지만 비 오는 날마다 당신과 함께였다는 사실로 지난 시간들을 위로합니다 나의 기도가 들리지 않는 곳에 있을 당신의 부재가 다행이라는 생각이 들고 그때 당신이 예쁘다고 했던 꽃의 유언은 이루어질 수 없는 사랑이라는 사실을 늦게나마 전합니다 그마저도 주지 못해 미안한 마음이 들고 그때 꽃을 줬더라면 무엇이라도 탓할 수 있었을 텐데 하는 늦은 후회를 합니다 잠시 머물다 사라지는 마음처럼

금방 떠나간 사람이지만 지나간 페이지마다 갈피를 꽂아

그리운 새벽에 종종 들여다보곤 합니다

불침번

숨 죽은 새벽에는 별들이
반쯤 웃고 나머지 반은 울고 있다

벽면에는 아무 말도 적혀있지 않았지만
오래전의 일들을 유서처럼 중얼거렸다

꽉 묶은 전투화 끈이 발목을 조이고
늘어진 내 삶도 힘겹게 조였다

그렇게 한참을 서 있으면
차가운 무릎도 그리운 마음도
복도에 고장난 전등처럼 깜빡였다

눈을 감고 흐르는
새벽의 맥을 천천히 짚어보면

떠날 때 챙겨온 미련과
남겨진 나의 여인이

산 너머의 별들처럼 웃고 울다가 아프게 저려왔다

우리의 약속

어린 시절 만났던 너를
더 어린 시절에도 만났다

사랑의 뜻도 모르면서
서로를 사랑이라 여겼다

바람에 흔들리는 불안한 저녁

어린 나는 버렸고
더 어렸던 너는 버림받았다

서로를 버리고 버렸던 시절
남아있는 흔적을 뒤척이다

버리는 일마저
사랑일 수도 있다는 생각을 했고

우리의 이별은
먼 훗날 다시 만나자는 약속 같았다

너의 세상

뜨거운 물에
말린 꽃잎을 오래 달이면

꽃의 색과 향을
뺏는 느낌이 들었고

죽어서도
더 죽어가는

꽃의 사후(死後)가 잔에 붉게 비친다

생을 마친 무덤에도
꽃이 피고 봄이 온다

죽어서 무엇도 되지 않겠다던
너는 무엇이 되었을까

바람이 분다

네 냄새가 났다

혼적

자정을 넘은 시간 집에 돌아오니 겨울 파도처럼 헝클어진
이불 사람 체온이 밴 눅눅한 베개 하얀 침구류에 흩어진
몇 가닥의 체모 너로 인해 긴 밤이 조금은 덜 외로울 수
있었다

맥도날드
-행신역

밤새도록 불이 꺼지지 않는 그곳에서 자주 만났다 우리는 어렸고 주머니는 가벼웠기에 만남의 장소로 제격이었다 너는 항상 뜨거운 커피 한 잔을 나는 가장 저렴한 아이스크림을 주문했고 그곳 값싼 음식들은 우리의 사정을 잘 이해했다 창밖 풍경이 잘 보이는 곳에 마주 앉아 너는 너의 말을 나는 나의 말을 했다 아는 것은 별로 없지만 알고 싶은 사실은 많았고 하고 싶지만 마음만으로는 할 수 없는 것들이 젊은 청춘들에겐 널려 있었다 너의 가방 안쪽에 있는 손때 묻은 마이크와 내가 입은 낡은 바지에 숨겨진 여러 흉터들이 각자의 삶의 방식을 설명하고 있었다 현실이 되지 못하는 꿈과 꿈이 될 수 없는 현실에서 살아가는 건 외로운 일이었다 때문에 현실에서도 꿈에서도 이를 악 물어야 했다

청춘의 꿈은 버겁고 우리는 아프게 살아간다

너는 나 나는 너

통닭과 치킨은 다른데

통닭을 치킨이라고 하고 치킨을 통닭이라고 하는

우리의 말처럼

나도 당신일 때 있고 당신도 나일 때 있었던

연말

밤이 자정을 두어 번
넘어가면 올해도 끝이었다

간단한 옷가지와
중간쯤에 오래 접어 둔 시집 하나 챙겨

무작정 떠나기로 했다

집을 나서기 전
마지막으로 짐을 확인하다
깜빡한 당신 생각을 챙겨 나왔다

처음 발을 디딘
땅 끝 낯선 마을에는

곁을 떠나지 않고
오래 지켜주겠다는 남자의 고백 같은 말과

오래전 집을 떠난 자식이
무사히 돌아오길 바라는 부모의 길어지는 기도가

새해 소망처럼 이곳에 있다

그리고

"갔다 올게." 하며 떠났지만

여태 돌아오지 않은

여인의 짧은 음성이 멀리서 불어온다

3부 당신이 살다 간 계절이 환하다

동백역

-부산

산 아래 작은 마을
좁은 골목마다 노을이 든다

조금 이르게 저녁을
맞이하는 낡은 공방에는

완성되지 않은 그림 한 점과
끝말을 적지 못한 나의 마음이 있다

그곳에 있는 예술가는
작품에 대한 해설을 했고

나는 계절이 지나도 오지 않는
당신의 부재를 생각했다

동백은 꽃이 다가 아니라는 사실을
바다가 잘 보이는 이곳을 떠나기 전날 새로 알았고

낯선 이곳의 밤들은

당신 눈 밑에 묻어둔 슬픔 같았다

잊혀지는 일도
새벽이 지나는 길목에선 어쩔 수 없듯이

이틀 내내 눈이 온다는 서울에는 당신이 있다

눈꽃

이틀 전 첫눈이 내렸고
어제는 보고 싶은 당신을 만났습니다

머리를 새로 한 당신은
이제 막 핀 동백처럼 환했습니다

말이 없는 당신과 어지러운 창밖을
골고루 보다가 이것도 오늘로 끝이겠다 싶었습니다

오래 품을 마음을 내어주며
당신을 좋아하는 일도 이쯤에 두고 그만 돌아섭니다

목 끝에서 넘어지는 말들을 되새기며
마지막으로 고운 당신의 이름을 불러봅니다

오랫동안 기별 없던 당신의 첫말은 울음이었습니다

처음 보는 당신의 슬픈 얼굴을
어떻게 할지 몰라 주저 앉은 마음 위에 그대로 두었습니다

떨어지는 꽃잎처럼 멀리 돌아서는 당신을 바라보며

당신의 풍경에 어울리지 않는

제가 이렇게라도 사라질 수 있어 다행이라고 생각했습니다

감기

어제 늦저녁부터 열이 나고
오늘 아침에는 기침을 했다

이렇게 망가지는 일도
이번이 끝이겠다 싶어서 며칠 앓기로 했다

두꺼운 옷을 입고 따뜻한 물을 자주 마시라는
당신의 걱정을 생각하며 겨울 이불을 덮고 눈을 감았다

혼자 추위에 떨다 가까스로 선잠에 들면
어지러운 꿈의 장면이 자꾸만 흐려졌다

해가 지고 한참이 지나서야
땀에 흠뻑 젖은 몸을 힘겹게 가누며 일어났다

혼자 긴 아픔을 앓는 사이

휴대 전화기에는 부재중 서너 통이 남겨져 있고
머리맡에는 하얀 약봉지가 놓여 있었다

그 안에 "아플 때 밥 거르지 마."

조그맣게 적힌 당신의 메모가

어느 의사의 처방보다 제격이었다

강원도

겁도 없이 우리만 바라보던 겨울이었다 가본 적 없는 낯선
길의 걸음을 여인은 곧잘 했다 마음 하나 아까운 시절에
만났던 우리는 시린 바람에도 서로의 옷깃을 놓지 않았다
우리의 연이 해 저무는 어디쯤에 멈춰도 그날은 잊지 말라
는 여인의 당부를 마주하고 오는 길이었다 '창밖에 내리는
빗물과 당신의 눈물이 닮아있다.' 정도의 짧은 문장을 생각
하며 기다리는 정류장에서 그날 여인의 손에 쥐여준 가난
한 마음 한 줌과 여인을 싣고 떠난 막차 버스의 잔상을 오
래 그려보았다

꽃잎

꽃이 피었다

지기엔 아쉬울 만큼 곱고
옆에는 네가 있다

한창인 꽃은 눈물을 머금은
그날 너의 눈동자 같았다

그 눈빛은 곧 거리에 떨어질 것이다

떠나기엔 봄이라서 슬펐고
남겨진 너는 꽃잎처럼 울었다

그해 우린

봄처럼 사랑해서
봄처럼 아팠다

3월

옅은 불빛 하나 겨우 들어오는 작은 방이었습니다
천장은 낮았고 때문에 우리는 가까웠습니다
옛일을 생각하면 웃음이 나다가
곧장 울음이 마중 나왔습니다
올해 첫 봄비보다 이른 눈물이 당신 눈 밑에 떨어집니다
슬픔이 발목까지 넘쳐 질척이는 걸음에
멀어지는 일을 그만두던 밤이었습니다
서로 한참을 말없이 바라보는
3월은 우리가 함께 우는 마지막 달이었습니다

봄

관물대 사이에 있는
좁은 창으로 낯선 바람이 분다

아직 꽃 피지 않은 나무에는
작은 새가 잠시 머물다 가고

저만치 보이는 조용한 거리에도
아직 봄은 오지 않았다

이곳 허름한 방에는

오래된 한숨이나
낡은 걱정 같은 것들이 널려있고

당신이 있는 그곳에는
곧 봄이 올 수순이었다

당신이 먼저 본 봄날을
후에 내가 보면

우리가 함께 하고 있다고 몇 번이나 위로할 수 있었다

벚꽃

당신은 아쉬운 얼굴을 하고
곧 비가 와서 꽃이 지겠다고 했다

나는 지기 전에 함께
꽃을 보자는 뜻으로 당신의 말을 이해했다

보고 싶은 일은
무언가를 그리워하는 방식이었고

그 무언가는 늘 당신이었다

꽃 피는 날
함께 웃는 날보다

꽃 지는 날
혼자 우는 날들이

더 많은
먼 곳에 있는 당신에게

미안하고 또 미안하다고 말하고 싶다

여름에 만난 이름

여름에 처음 만난 이름이 두어 계절을 지나 겨울 밤하늘에 있다 불이 꺼져 있는 당신의 마음을 기다리다 깜빡 잠에 드는 일은 오랜 습관이 되었다 날이 일찍 저물고 미리 마중 나온 저녁 먼 곳에 있는 당신의 눈빛 같은 것들을 올려다본다 외진 구석으로 밀어 넣은 날들을 외우며 기다렸지만 당신은 올 리가 없었다 당신을 오래 앓다 보면 닿지 않는 나의 고백이 새벽의 고요처럼 사라졌다 "겨울 바람이 당신의 밤을 시리게 하지 않길 바랍니다."라는 문장이 적힌 편지를 접어두고 당신을 처음 만난 여름날을 오래 생각했다

휴일

반나절 서로 얽히고 떠들다가 밀린 빨래를 하고 배가 허하
다는 당신의 투정을 한 줌 넣고 끓인 국으로 때늦은 허기
를 채운다 이틀째 비가 내리고 반쯤 열린 창으로 여름의
비린내가 난다 당신은 지쳐 누워있는 나를 발로 밀면서 문
을 닫고 오라는 성가신 부름을 했고 나는 일어난 김에 선
풍기 바람을 약풍에서 강풍으로 바꿨다 내 팔을 베고 당신
이 고른 책을 같이 읽다가 며칠 전 내가 쓴 시를 보여주고
철 지난 노래를 흥얼거리다 우리의 얘기 같은 가사 한 줄
을 서로의 품에 넣어두고 잠에 들었다 나는 항상 팔이 저
려오면 당신보다 먼저 잠에서 깨어 곤히 잠든 당신을 토닥
였다 선풍기 바람에 조금 흔들리는 당신 얼굴에 놓인 머리
카락이 어느 봄날 흩날리는 꽃잎보다 더 좋아 오래 바라보
았다

여름의 투정

밤보다 낮이 긴 계절 무렵입니다 당신의 일터 앞 사거리에
서 해가 지길 기다립니다 주변 가게들은 아직 한창이라 오
늘도 끼니를 거른 당신의 허기를 무엇으로 채울지 고민합
니다 마침 저도 슬슬 배가 고플 참이고요 해는 뜨겁고 날
은 무더워 큰일입니다 벌써부터 당신의 투정이 이마 위로
내리쬡니다 여름을 싫어하는 당신도 여름에 하는 것들은
좋아했습니다 다음에는 먼 곳으로 떠나자는 당신의 말을
떠올리며 우리의 다음을 오래 생각합니다 이쯤 하니 날이
기울었습니다 저쪽에서 당신이 걸어오고 앞서가는 마음 따
라 저도 당신에게 곧장 달려갑니다 당신은 여름이란 말에
서 여름이어서라는 말로 끝나는 투정을 했고 그 여름에만
볼 수 있는 당신의 투정이 지는 노을에 설핏 빛났습니다
당신은 날이 더워 그 이상은 싫다고 말하며 저의 손끝을
잡았고 저는 아무렴 괜찮다는 듯 웃어 보였습니다 지난 여
름의 일은 뒤로하고 다시 잡은 당신의 손이 마냥 좋기만
하였습니다

일기예보

오늘은 비가 올지도 모른다는
말을 어제도 했고

오늘 비가 안 오면
내일 비가 올 것이라고 했다

당신이 두고 간 우산은
신발장 한편에 그대로 있지만
당신은 새로 우산을 들고 왔다

먼저 자리 잡은 우산 옆에
비에 젖은 우산을 기대어 두고

지친 당신도 내게 안겨 기댔다

비에 젖은 우산이
마른 우산을 적시고

젖은 당신의 머리가
내 어깨를 적셨다

젖은 머리카락을 뒤로 넘기면

연하고 푸른 당신의 얼굴이

울어도 꼭 함께 울던

가난한 시절의 마음처럼 오래 빛났다

강원도2

그 여름은 덥고 길었습니다 한 번 왔던 길이 오래도록 잊
히지 않는 까닭을 우리는 잘 알고 있었습니다 어지러운 길
을 지나온 여인이 금방 떠날 버스에서 내렸습니다 반가운
여인의 눈에는 며칠 전 올려다 본 하늘의 별빛이 가득 담
겨 있었습니다 다시 볼 수 없을 것 같았던 그날의 절경을
마주한 저는 무엇도 더 바랄 것이 없었습니다 별다른 뜻도
없이 자주 웃어 보였던 시절이 내리는 햇살에 비췄습니다
해는 곧 저물 테지만 이 여름의 기억은 뜨겁고 오래 빛날
것입니다

당부

저녁이 먼저 들어오는 골목을 지날 때마다 자주 눈에 밟히는 가게가 있다 나는 무엇을 파는 줄도 모르면서 그곳에 가고 싶었고 며칠 생각만 하다 그곳으로 갔다 "어서 오세요." 주인의 말이 먼저 들렸고 "이곳은 이상한 곳입니다." 벽면에 붙은 손님의 메모가 보였다 인적이 끊겨 아무도 없는 이상한 이곳에 머물며 한 줄 적기로 했다 가사 없는 곡조가 흘렀고 그럼에도 음악이 될 수 있었다 그해 당신 앞에서 잘 나오지 않던 말들도 글이 됐지만 당신에게 닿을리 없었다 창 너머로 보이는 길 따라 조용한 밤을 외우면 밀려오는 걱정을 넣어두고 서로의 옷깃을 놓지 않았던 시절이 보였다 우리의 연이 해 저무는 어디쯤에 멈춰도 그날을 잊지 말라는 여인의 말을 나는 곧잘 지키고 있다

장마

입을 벌리고
잠 드는 날에는 항상 목이 말랐고

눈을 오래 감고
당신 생각을 하다 잠 드는 날에는

머리맡에 당신이 와 있는 것 같았다

생각은 그저 생각일 때
가장 또렷해서 한 줄 적는 일도 어려워지고

서로의 먼지가 수없이
뒤섞였던 시절의 민낯을

기억을 건너는 문턱에서
마주치는 건 어쩔 수 없었다

내가 사랑하는 사람들은
자주 우는 버릇이 있고

나는 그 슬픈 눈을 기억해

해질 무렵 혼자 우는 버릇이 있다

그 여름을 끝으로
볼 수 없는 당신의 눈물이

내 어두운 창에 며칠 맺혀 있다가
이별처럼 멀리 떠나간다

비

비는 계절을 가리지 않습니다

어떤 슬픔이 창에 맺혀 함께 울고 있습니다

그저께 봤던 영화의 장면은 잘 기억나지 않지만

그날 건조한 너의 눈동자는 선명합니다

사랑에게 다른 이름을 지어주고

사인(死因)을 모르는 죽음을 추모하며

결말과 이별이 가진 오랜 관습을 생각합니다

뜻은 같지만 다른 이름이 여러 있고

사랑과 이별의 이유도 별반 다르지 않을 것입니다

우리가 그러했듯이

어떤 결말도 아름답지는 못할 것입니다

가을

무엇으로든 소모되기 좋은 시기입니다 흐려지는 기억을 얼핏 짚어보는 일만으로도 하루를 보내기 충분한 날들이었습니다 그 기억으로부터 두어 발 멀어지거나 서너 발 앞서 나가고 싶은 마음이 드는 건 저도 어쩌지 못합니다 더하는 일보다 버리는 일들이 더 많은 가을에는 춥다고 말하는 당신의 손을 잡으며 이제 선선할 것이라고 위로하던 지난 날의 마음이 거리마다 빨갛게 물들었습니다

환절기

한철이 끝날 무렵 여름날의 착각도 조금은 수그러들었습니다 선풍기 바람에 맡기던 머리 말리기는 이제 성가신 일이 되었습니다 머리를 어디까지 기를 거냐고 묻던 당신의 물음에 대한 대답은 여전합니다 무엇이든 억지로 잘라내는 것은 슬프게 느껴집니다 삶은 살아가는 것인지 죽어가는 것인지 생각하는 날도 있었습니다 이렇게 사는 것보단 서서히 죽어간다고 믿는 편이 더 나았습니다

이번 여름에는 장마가 길게 이어졌습니다 빗소리를 빌려 당신에게 보내는 편지를 적기 위해 펜을 잡았습니다 비가 온다 비가 내린다 중에 어떤 말로 운을 떼야 할지 고민했습니다 한참을 고민했지만 끝내 어떤 말도 적지 못하고 돌아섰습니다

얼마전 걷기엔 멀고 무엇을 타기엔 가까운 곳에서 일을 시작했습니다 일을 마치고 집에 돌아가는 어느 날엔 걷고 또 다른 날엔 무엇을 탔습니다 혼자 남은 이곳에서 당신과 맞추어 걷던 낯익은 걸음들을 생각하며 그쯤에서 멈추는 일

이 잦았습니다

낮보다 밤이 길어지는 계절처럼 불이 환한 날보다 깜깜한
날이 빈번한 우체국 앞을 서성이다 보내지 못한 이름의 잔
상을 어디론가 멀리 보내고 싶은 마음까지 들었습니다

가을2

한철은 기억으로 남고 우리는 기록으로 남습니다 무엇으로 남겨두기엔 슬프고 흘려보내기엔 아쉬운 시절이 이 계절의 바람처럼 불어옵니다 기척도 없는 새벽의 고요는 아직 듣지 못한 마음처럼 느껴지기도 하고 너머로 전해 들은 오래된 안부 같기도 합니다 내딛는 걸음보다 멀어지는 걸음이 익숙한 새벽의 정적은 길어지고 그곳에 오래 머무는 날이 잦아집니다 나와 한 약속을 다른 이와 지키고 있을 인연들의 뒷모습을 그리다가 내가 도망친 것들과 내게 떠나간 것들이 별반 다르지 않다는 생각이 들고 여전히 무언가로부터 도망치고 있다는 사실이 부끄럽게만 느껴집니다 우리의 이별은 많은 서사가 생략되었고 입술 끝에 맺힌 말들이 내내 마르지 않습니다 기억나지 않는 꿈을 꾸고 잊히지 않는 시절을 잊어보려 애쓰는 까닭을 나는 잘 알고 있습니다 원래 아름다운 것들은 약간의 슬픔을 가지고 있고 그것이 우리를 아프게 합니다 가을은 짧고 슬픈 일들은 많습니다

슬픈 계절

우리는 불어오는 바람에 속절없었다

여름은 싫지만 여름 냄새는 좋다고
너는 비가 오는 늦은 오후에 말했다

겨울은 좋지만 슬픈 계절이라고
나는 첫눈 오기 이틀 전에 말했다

그 여름의 너는
내가 좋은데 이유가 없다고 했지만

여름이 가고
겨울이 왔을 땐

내가 싫은데 이유가 없다고 했다

바람이 차고
너의 눈빛은 아팠다

그해 겨울은 슬펐다

눈이 오지 않는 겨울

아직 눈이 되지 못한
비가 내린다

겨울이 좋다고
여름에 태어난 네가 말했다

눈은 아직이지만
겨울이 왔다

네가 바란 건 아마
눈이 펑펑 쏟아지는

짙은 어둠마저 하얘지는 그런 겨울

너는 그런 겨울을
상상하며 말했을 것이다

날은 춥고 시린 바람이
너의 눈을 아프게 한다

너는 눈이 오지 않는 겨울도

겨울이라고 생각할까

그때 사랑 말곤
다 했던 우리를

너는 사랑이라고 생각할까

눈1

밤이 지나는 길목에 오래 머무는 날이면 네가 가진 꿈과 내가 가진 희망이 끝말잇기를 했다 어떤 말을 하고 싶기보단 무슨 말이라도 해야 될 것 같은 마음으로 우리는 한 시절을 보냈다 뿌리가 꺾인 꽃은 더는 꽃이 될 수 없다는 너의 말이 도통 이해되지 않았고 그건 지금도 마찬가지였다 죽을 운명을 가진 꽃도 그저 꽃이고 끝내 저무는 사랑도 부디 사랑이어야 했다

눈2

그해 겨울은 눈이 자주 왔다 겨울을 좋아하고 눈은 더 좋아했던 너는 눈이 올 때마다 허공에 손을 뻗었고 너의 손에 갇힌 눈은 느리게 죽어갔다 생각해 보면 너는 비는 내린다고 했고 눈은 온다고 했다 비는 누군가의 슬픔을 함께 울어주는 것이라고 했고 눈은 전하지 못한 사랑을 대신 고백하는 것이라고 했다 그런 너에게 나는 비였을까 눈이었을까 너의 손아귀에서 죽어가던 눈은 그저 눈일 수 있을까

글을 마치며

잠시 머물렀던 마음에게 보내는 편지입니다. 어떤 기대나 회망으로 슬픔이나 절망으로 살아냈던 시간이었습니다. 함께여서 기뻤고 슬펐습니다.

부디 당신도 나와 같길 바랍니다.

이용빈

2002년 1월, 서울에서 태어났다. 책을 좋아하고 시는 더 좋아하는 젊은 청년이다. 작은 공책에 일기를 쓰다가 시를 쓰기 시작했다. 언젠가 나도 한 번 그들처럼 시집을 출판하여 세상에 남기고 싶었다.

Contact: ben9978@naver.com

Instagram: @normalxee

이틀 내내 눈이 온다는 서울에는 당신이 있다

발 행 | 2024년 01월 10일

저 자 | 이용빈

펴낸이 | 한건희

펴낸곳 | 주식회사 부크크

출판사등록 | 2014.07.15(제2014-16호)

주 소 | 서울시 금천구 가산디지털1로 119, SK트윈타워 A동 305호

전 화 | 1670 - 8316

이메일 | info@bookk.co.kr

ISBN | 979-11-410-6612-3

www.bookk.co.kr